C000156314

SV

Band 549 der Bibliothek Suhrkamp

Nelly Sachs
Gedichte

Herausgegeben und mit einem
Nachwort versehen von Hilde Domin

Suhrkamp Verlag

© dieser Ausgabe: Suhrkamp Verlag Frankfurt am Main 1977
Quellenhinweise am Schluß des Bandes
Alle Rechte vorbehalten, insbesondere das der Übersetzung
des öffentlichen Vortrags sowie der Übertragung
durch Rundfunk und Fernsehen, auch einzelner Teile.
Kein Teil des Werkes darf in irgendeiner Form
(durch Fotografie, Mikrofilm oder andere Verfahren)
ohne schriftliche Genehmigung des Verlages reproduziert
oder unter Verwendung elektronischer Systeme
verarbeitet, vervielfältigt oder verbreitet werden.
Druck: Druckhaus Nomos, Sinzheim
Printed in Germany
Erste Auflage 1977
ISBN 978-3-518-01549-0

14 15 16 17 18 19 – 15 14 13 12 11 10

Gedichte

Ein Faustschlag hinter der Hecke
Da liegt einer
Nichts Schlimmeres als Vorübergehn
Keiner bleibt stehn
Nichts zu sagen
Der Jasmin hat nicht seinen Duft gewechselt –

so briefly

at the mercy *of Men*

So kurz ausgeliefert ist der Mensch

Wer kann da über Liebe sprechen *who can speak of love there*

Das Meer hat längere Worte

auch die kristallgefächerte Erde *crystal-diverse earth*

mit weissagendem Wuchs *predictable? growth*

Dieses leidende Papier *suffering paper*

schon krank vom Staub-zum-Staube-Lied *dust.to.dust song*

das gesegnete Wort entführend *consecrated word* *hijacked*

vielleicht zurück zu seinem magnetischen Punkt

der Gottdurchlässig ist –

porous
permeable

9

Diese Jahrtausende *this millenium*
geblasen vom Atem *an angry keyword rotatory*
immer um ein zorniges Hauptwort kreisend
aus dem Bienenkorb der Sonne *from the beehive*
stechende Sekunden *piercing seconds*
kriegerische Angreifer *warlike attacker*
geheime Folterer *secret torturer*

Niemals eine Atempause wie in Ur
da ein Kindervolk an den weißen Bändern zog
mit dem Mond Schlafball zu spielen –

Auf der Straße mit Windeseile *lightning speed*
läuft die Frau
Medizin zu holen für das kranke Kind

Vokale und Konsonanten
schreien in allen Sprachen:
Hilfe!

Ich bin meinem Heimatrecht auf der Spur
dieser Geographie nächtlicher Länder *night time lands*
wo die zur Liebe geöffneten Arme *open arms for love*
ucified gekreuzigt an den Breitengraden hängen *parallel*
bodenlos in Erwartung –
fathomless in expectation

Wo nur finden die Worte
die Erhellten vom Erstlingsmeer
die Augen-Aufschlagenden
die nicht mit Zungen verwundeten
die von den Lichter-Weisen versteckten
für deine entzündete Himmelfahrt
die Worte
die ein zum Schweigen gesteuertes Weltall
mitzieht in deine Frühlinge –

HIER NEHME ICH EUCH GEFANGEN
ihr Worte
wie ihr mich buchstabierend bis aufs Blut
gefangen nehmt
ihr seid meine Herzschläge
zählt meine Zeit
diese mit Namen bezeichnete Leere

Laßt mich den Vogel sehen
der singt
sonst glaube ich die Liebe gleicht dem Tod –

DIE GIPFEL DER BERGE

werden sich küssen
wenn die Menschen ihre Sterbehütten
verlassen
und mit den Regenbögen
sich bekränzen
dem siebenfarbigen Labsal
der verblutenden Erde –

Was ist das Andere
auf das Ihr Steine werft?

let him who is without sin among you cast the first stone

Ehe es wächst, lasse ich euch es erlauschen.
Jesaia

LANGE HABEN WIR das Lauschen verlernt!
Hatte Er uns gepflanzt einst zu lauschen
Wie Dünengras gepflanzt, am ewigen Meer,
Wollten wir wachsen auf feisten Triften,
Wie Salat im Hausgarten stehn.

Wenn wir auch Geschäfte haben,
Die weit fort führen
von Seinem Licht,
Wenn wir auch das Wasser aus Röhren trinken,
Und es erst sterbend naht
Unserem ewig dürstenden Mund –
Wenn wir auch auf einer Straße schreiten,
Darunter die Erde zum Schweigen gebracht wurde
Von einem Pflaster,
Verkaufen dürfen wir nicht unser Ohr,
O, nicht unser Ohr dürfen wir verkaufen.
Auch auf dem Markte,
Im Errechnen des Staubes,
Tat manch einer schnell einen Sprung
Auf der Sehnsucht Seil,
Weil er etwas hörte,
Aus dem Staube heraus tat er den Sprung
Und sättigte sein Ohr.
Preßt, o preßt an der Zerstörung Tag

An die Erde das lauschende Ohr,
Und ihr werdet hören, durch den Schlaf hindurch
Werdet ihr hören *through sleep*
Wie im Tode *how in death*
Das Leben beginnt. *life begins*

AN EUCH, DIE DAS NEUE HAUS B

WENN DU dir deine Wände ne
Deinen Herd, Schlafstatt, Tisch
Hänge nicht deine Tränen um sie, ￼ ngegangen,
Die nicht mehr mit dir wohnen werden
An den Stein
Nicht an das Holz –
Es weint sonst in deinen Schlaf hinein,
Den kurzen, den du noch tun mußt.

Seufze nicht, wenn du dein Laken bettest,
Es mischen sich sonst deine Träume
Mit dem Schweiß der Toten.

Ach, es sind die Wände und die Geräte
Wie die Windharfen empfänglich
Und wie ein Acker, darin dein Leid wächst,
Und spüren das Staubverwandte in dir.

Baue, wenn die Stundenuhr rieselt,
Aber weine nicht die Minuten fort
Mit dem Staub zusammen,
Der das Licht verdeckt.

WER ABER leerte den Sand aus euren Schuhen,
Als ihr zum Sterben aufstehen mußtet?
Den Sand, den Israel heimholte,
Seinen Wandersand?
Brennenden Sinaisand,
Mit den Kehlen von Nachtigallen vermischt,
Mit den Flügeln des Schmetterlings vermischt,
Mit dem Sehnsuchtsstaub der Schlangen vermischt,
Mit allem was abfiel von der Weisheit Salomos
                                    vermischt,
Mit dem Bitteren aus des Wermuts Geheimnis
                                    vermischt –

O ihr Finger,
Die ihr den Sand aus Totenschuhen leertet,
Morgen schon werdet ihr Staub sein
In den Schuhen Kommender!

AUCH DIR, du mein Geliebter,
Haben zwei Hände, zum Darreichen geboren,
Die Schuhe abgerissen,
Bevor sie dich töteten.
Zwei Hände, die sich darreichen müssen
Wenn sie zu Staub zerfallen.
Deine Schuhe waren aus einer Kalbshaut.
Wohl waren sie gegerbt, gefärbt,
Der Pfriem hatte sie durchstochen –
Aber wer weiß, wo noch ein letzter lebendiger
Hauch wohnt?
Während der kurzen Trennung
Zwischen deinem Blut und der Erde
Haben sie Sand hineingespart wie eine Stundenuhr
Die jeden Augenblick Tod füllt.
Deine Füße!
Die Gedanken eilten ihnen voraus.
Die so schnell bei Gott waren,
So wurden deine Füße müde,
Wurden wund um dein Herz einzuholen.
Aber die Kalbshaut,
Darüber einmal die warme leckende Zunge
Des Muttertieres gestrichen war,
Ehe sie abgezogen wurde –
Wurde noch einmal abgezogen
Von deinen Füßen,
Abgezogen –
O du mein Geliebter!

IM MORGENGRAUEN,
Wenn ein Vogel das Erwachen übt –
Beginnt die Sehnsuchtsstunde allen Staubes
Den der Tod verließ.

O Stunde der Geburten,
Kreißend in Qualen, darin sich die erste Rippe
Eines neuen Menschen bildet.

Geliebter, die Sehnsucht deines Staubes
Zieht brausend durch mein Herz.

WENN ICH nur wüßte,
Worauf dein letzter Blick ruhte.
War es ein Stein, der schon viele letzte Blicke
Getrunken hatte, bis sie in Blindheit
Auf den Blinden fielen?

Oder war es Erde,
Genug, um einen Schuh zu füllen,
Und schon schwarz geworden
Von soviel Abschied
Und von soviel Tod bereiten?

Oder war es dein letzter Weg,
Der dir das Lebewohl von allen Wegen brachte
Die du gegangen warst?

Eine Wasserlache, ein Stück spiegelndes Metall,
Vielleicht die Gürtelschnalle deines Feindes,
Oder irgend ein anderer, kleiner Wahrsager
Des Himmels?

Oder sandte dir diese Erde,
Die keinen ungeliebt von hinnen gehen läßt
Ein Vogelzeichen durch die Luft,
Erinnernd deine Seele, daß sie zuckte
In ihrem qualverbrannten Leib?

Ein Meer von Einsamkeit steht mit uns still
wo wir anklopfen

(Chöre nach Mitternacht)

CHOR DER GERETTETEN

WIR GERETTETEN,
Aus deren hohlem Gebein der Tod schon seine Flöten
schnitt,
An deren Sehnen der Tod schon seinen Bogen strich –
Unsere Leiber klagen noch nach
Mit ihrer verstümmelten Musik.
Wir Geretteten,
Immer noch hängen die Schlingen für unsere Hälse
gedreht
Vor uns in der blauen Luft –
Immer noch füllen sich die Stundenuhren mit unserem
tropfenden Blut.

Wir Geretteten,
Immer noch essen an uns die Würmer der Angst.
Unser Gestirn ist vergraben im Staub.
Wir Geretteten
Bitten euch:
Zeigt uns langsam eure Sonne.
Führt uns von Stern zu Stern im Schritt.
Laßt uns das Leben leise wieder lernen.
Es könnte sonst eines Vogels Lied,
Das Füllen des Eimers am Brunnen
Unseren schlecht versiegelten Schmerz aufbrechen
lassen
Und uns wegschäumen –

Wir bitten euch:
Zeigt uns noch nicht einen beißenden Hund –
Es könnte sein, es könnte sein
Daß wir zu Staub zerfallen –
Vor euren Augen zerfallen in Staub.
Was hält denn unsere Webe zusammen?
Wir odemlos gewordene,
Deren Seele zu Ihm floh aus der Mitternacht
Lange bevor man unseren Leib rettete
In die Arche des Augenblicks.
Wir Geretteten,
Wir drücken eure Hand,
Wir erkennen euer Auge –
Aber zusammen hält uns nur noch der Abschied,
Der Abschied im Staub
Hält uns mit euch zusammen.

CHOR DER WANDERNDEN

WIR WANDERNDE,
Unsere Wege ziehen wir als Gepäck hinter uns her –
Mit einem Fetzen des Landes darin wir Rast hielten
Sind wir bekleidet –
Aus dem Kochtopf der Sprache, die wir unter Tränen
                                              erlernten,
Ernähren wir uns.

Wir Wandernde,
An jeder Wegkreuzung erwartet uns eine Tür
Dahinter das Reh, der waisenäugige Israel der Tiere
In seine rauschenden Wälder verschwindet
Und die Lerche über den goldenen Äckern jauchzt.
Ein Meer von Einsamkeit steht mit uns still
Wo wir anklopfen.
O ihr Hüter mit flammenden Schwertern ausgerüstet,
Die Staubkörner unter unseren Wanderfüßen
Beginnen schon das Blut in unseren Enkeln zu treiben –
O wir Wandernde vor den Türen der Erde,
Vom Grüßen in die Ferne
Haben unsere Hüte schon Sterne angesteckt.
Wie Zollstöcke liegen unsere Leiber auf der Erde
Und messen den Horizont aus –
O wir Wandernde,
Kriechende Würmer für kommende Schuhe,
Unser Tod wird wie eine Schwelle liegen
Vor euren verschlossenen Türen!

O IHR GEJAGTEN alle auf der Welt!
Unsere Sprache ist gemischt aus Quellen und Sternen
Wie die eure.
Eure Buchstaben sind aus unserem Fleisch.
Wir sind die steigend Wandernden
Wir erkennen euch –
O ihr Gejagten auf der Welt!
Heute hing die Hindin Mensch an unseren Zweigen
Gestern färbte das Reh die Weide mit Rosen um
unseren Stamm.
Eurer Fußspuren letzte Angst löscht aus in unserem
Frieden
Wir sind der große Schattenzeiger
Den Vogelsang umspielt –
O ihr Gejagten alle auf der Welt!
Wir zeigen in ein Geheimnis
Das mit der Nacht beginnt.

GÄRTNER SIND WIR, blumenlos gewordene
Kein Heilkraut läßt sich pflanzen
Von Gestern nach Morgen.
Der Salbei hat abgeblüht in den Wiegen –
Rosmarin seinen Duft im Angesicht der neuen Toten
verloren –
Selbst der Wermut war bitter nur für gestern.
Die Blüten des Trostes sind zu kurz entsprossen
Reichen nicht für die Qual einer Kinderträne.

Neuer Same wird vielleicht
Im Herzen eines nächtlichen Sängers gezogen.
Wer von uns darf trösten?
In der Tiefe des Hohlwegs
Zwischen Gestern und Morgen
Steht der Cherub
Mahlt mit seinen Flügeln die Blitze der Trauer
Seine Hände aber halten die Felsen auseinander
Von Gestern und Morgen
Wie die Ränder einer Wunde
Die offenbleiben soll
Die noch nicht heilen darf.

Nicht einschlafen lassen die Blitze der Trauer
Das Feld des Vergessens.

Wer von uns darf trösten?

Gärtner sind wir, blumenlos gewordene
Und stehn auf einem Stern, der strahlt
Und weinen.

Wenn die Propheten einbrächen
durch Türen der Nacht
und ein Ohr wie eine Heimat suchten –

WELT, frage nicht die Todentrissenen
wohin sie gehen,
sie gehen immer ihrem Grabe zu.
Das Pflaster der fremden Stadt
war nicht für die Musik von Flüchtlingsschritten gelegt
worden –
Die Fenster der Häuser, die eine Erdenzeit spiegeln
mit den wandernden Gabentischen der
Bilderbuchhimmel –
wurden nicht für Augen geschliffen
die den Schrecken an seiner Quelle tranken.
Welt, die Falte ihres Lächelns hat ihnen ein starkes
Eisen ausgebrannt;
sie möchten so gerne zu dir kommen
um deiner Schönheit wegen,
aber wer heimatlos ist, dem welken alle Wege
wie Schnittblumen hin –

Aber, es ist uns in der Fremde
eine Freundin geworden: die Abendsonne.
Eingesegnet von ihrem Marterlicht
sind wir geladen zu ihr zu kommen mit unserer Trauer,
die neben uns geht:
Ein Psalm der Nacht.

Wir sind so wund,
daß wir zu sterben glauben
wenn die Gasse uns ein böses Wort nachwirft.
Die Gasse weiß es nicht,
aber sie erträgt nicht eine solche Belastung;
nicht gewöhnt ist sie einen Vesuv der Schmerzen
auf ihr ausbrechen zu sehn.
Die Erinnerungen an Urzeiten sind ausgetilgt bei ihr,
seitdem das Licht künstlich wurde
und die Engel nur noch mit Vögeln und Blumen spielen
oder im Traume eines Kindes lächeln.

ABSCHIED –
aus zwei Wunden blutendes Wort.
Gestern noch Meereswort
mit dem sinkenden Schiff
als Schwert in der Mitte –
Gestern noch von Sternschnuppensterben
durchstochenes Wort –
Mitternachtgeküßte Kehle
der Nachtigallen –

Heute – zwei hängende Fetzen
und Menschenhaar in einer Krallenhand
die riß –

Und wir Nachblutenden –
Verblutende an dir –
halten deine Quelle in unseren Händen.
Wir Heerscharen der Abschiednehmenden
die an deiner Dunkelheit bauen –
bis der Tod sagt: schweige du –
doch hier ist: weiterbluten!

und nach der Sonnenseite Gott
sollen die Häuser gebaut werden

LAND ISRAEL,
deine Weite, ausgemessen einst
von deinen, den Horizont übersteigenden Heiligen.
Deine Morgenluft besprochen von den Erstlingen

Gottes,

deine Berge, deine Büsche
aufgegangen im Flammenatem
des furchtbar nahegerückten Geheimnisses.

Land Israel,
erwählte Sternenstätte
für den himmlischen Kuß!

Land Israel,
nun wo dein vom Sterben angebranntes Volk
einzieht in deine Täler
und alle Echos den Erzvätersegen rufen
für die Rückkehrer,
ihnen kündend, wo im schattenlosen Licht
Elia mit dem Landmanne ging zusammen am Pfluge,
der Ysop im Garten wuchs
und schon an der Mauer des Paradieses –
wo die schmale Gasse gelaufen zwischen Hier und Dort
da, wo Er gab und nahm als Nachbar
und der Tod keines Erntewagens bedurfte.

Land Israel,
nun wo dein Volk

aus den Weltenecken verweint heimkommt
um die Psalmen Davids neu zu schreiben in deinen Sand
und das Feierabendwort *Vollbracht*
am Abend seiner Ernte singt –

steht vielleicht schon eine neue Ruth
in Armut ihre Lese haltend
am Scheidewege ihrer Wanderschaft.

NUN HAT ABRAHAM die Wurzel der Winde gefaßt
denn heimkehren wird Israel aus der Zerstreuung.

Eingesammelt hat es Wunden und Martern
auf den Höfen der Welt,
abgeweint alle verschlossenen Türen.

Seine Alten, den Erdenkleidern fast entwachsen
und wie Meerpflanzen die Glieder streckend,

einbalsamiert im Salze der Verzweiflung
und die Klagemauer Nacht im Arm –
werden noch einen kleinen Schlaf tun –

Aber die Jungen haben die Sehnsuchtsfahne entfaltet,
denn ein Acker will von ihnen geliebt werden
und eine Wüste getränkt

und nach der Sonnenseite Gott
sollen die Häuser gebaut werden

und der Abend hat wieder das veilchenscheue Wort,
das nur in der Heimat so blau bereitet wird:
Gute Nacht!

Völker der Erde,
zerstöret nicht das Weltall der Worte

VÖLKER DER ERDE

ihr, die ihr euch mit der Kraft der unbekannten
Gestirne umwickelt wie Garnrollen,
die ihr näht und wieder auftrennt das Genähte,
die ihr in die Sprachverwirrung steigt
wie in Bienenkörbe,
um im Süßen zu stechen
und gestochen zu werden –

Völker der Erde,
zerstöret nicht das Weltall der Worte,
zerschneidet nicht mit den Messern des Hasses
den Laut, der mit dem Atem zugleich geboren wurde.

Völker der Erde,
O daß nicht Einer Tod meine, wenn er Leben sagt –
und nicht Einer Blut, wenn er Wiege spricht –

Völker der Erde,
lasset die Worte an ihrer Quelle,
denn sie sind es, die die Horizonte
in die wahren Himmel rücken können
und mit ihrer abgewandten Seite
wie eine Maske dahinter die Nacht gähnt
die Sterne gebären helfen –

WENN IM VORSOMMER der Mond geheime Zeichen

aussendet,

die Kelche der Lilien Dufthimmel verströmen,

öffnet sich manches Ohr unter Grillengezirp

dem Kreisen der Erde und der Sprache

der entschränkten Geister zu lauschen.

In den Träumen aber fliegen die Fische in der Luft

und ein Wald wurzelt sich im Zimmerfußboden fest.

Aber mitten in der Verzauberung spricht eine Stimme

klar und verwundert:

Welt, wie kannst du deine Spiele weiter spielen

und die Zeit betrügen –

Welt, man hat die kleinen Kinder wie Schmetterlinge,

flügelschlagend in die Flamme geworfen –

und deine Erde ist nicht wie ein fauler Apfel

in den schreckaufgejagten Abgrund geworfen worden –

Und Sonne und Mond sind weiter spazierengegangen –

zwei schieläugige Zeugen, die nichts gesehen haben.

des Alphabetes Leiche hob sich aus dem Grab
Buchstabenengel

WURZELN schlagen
die verlassenen Dinge
in den Augen Fliehender,

und die Tür, die offensteht,
schweigt mit dem verlorenen Stimmband
an des Zimmers leerer Kehle.

Suppentopf ist eine Insel
ohne Flutbegehr der Münder,

Schreibtisch ohne Sternenkunde.
Meteore tief im Nachtgrab

liegen Briefe ungelesen
doch ihr Bergkristallbeschwerer

glüht an einer Fenstersonne –
denn mit Wolken schreibt der Schreiber:

Rose

schon an einen neuen Himmel
und die Antwort fiel in Asche.

Bienenflügel in dem Glassarg
strahlt in Gold die Flucht durch Gräber,

wird mit der zerrißnen Sehnsucht
schmelzen an dem Honigfeuer,

wenn Nacht sich endlich auf den Scheiterhaufen wirft.

WER WEISS, wo die Sterne stehn
in des Schöpfers Herrlichkeitsordnung
und wo der Friede beginnt
und ob in der Tragödie der Erde
die blutig gerissene Kieme des Fisches
bestimmt ist,
das Sternbild *Marter*
mit seinem Rubinrot zu ergänzen,
den ersten Buchstaben
der wortlosen Sprache zu schreiben –

Wohl besitzt Liebe den Blick,
der durch Gebeine fährt wie ein Blitz
und begleitet die Toten
über den Atemzug hinaus –

aber wo die Abgelösten
ihren Reichtum hinlegen,
ist unbekannt.

Himbeeren verraten sich im schwärzesten Wald
durch ihren Duft,
aber der Toten abgelegte Seelenlast
verrät sich keinem Suchen –
und kann doch beflügelt
zwischen Beton oder Atomen zittern

oder immer da,
wo eine Stelle für Herzklopfen
ausgelassen war.

KAIN! um dich wälzen wir uns im Marterbett:
Warum?
Warum hast du am Ende der Liebe
deinem Bruder die Rose aufgerissen?

Warum den unschuldigen Kindlein
verfrühte Flügel angeheftet?
Schnee der Flügel
darauf deine dunklen Fingerabdrücke
mitgenommen
in die Wirklichkeit der Himmel schweben?

Was ist das für eine schwarze Kunst
Heilige zu machen?
Wo sprach die Stimme
die dich dazu berief?

Welche pochende Ader
hat dich ersehnt?

Dich
der das Grün der Erde
zum Abladeplatz trägt

Dich
der das Amen der Welt
mit einem Handmuskel spricht –

Kain – Bruder – ohne Bruder –

HIER UND DA ist die Laterne der Barmherzigkeit
zu den Fischen zu stellen,
wo der Angelhaken geschluckt
oder das Ersticken geübt wird.

Dort ist das Gestirn der Qualen
erlösungsreif geworden.

Oder dahin,
wo Liebende sich wehe tun,
Liebende,
die doch immer nahe am Sterben sind.

IN DER BLAUEN FERNE,
wo die rote Apfelbaumallee wandert
mit himmelbesteigenden Wurzelfüßen,
wird die Sehnsucht destilliert
für Alle die im Tale leben.

Die Sonne, am Wegesrand liegend
mit Zauberstäben,
gebietet Halt den Reisenden.

Die bleiben stehn
im gläsernen Albtraum,
während die Grille fein kratzt
am Unsichtbaren

und der Stein seinen Staub
tanzend in Musik verwandelt.

SIND GRÄBER Atempause für die Sehnsucht?
Leiseres Schaukeln an Sternenringen?
Agonie im Nachtschatten,
bevor die Trompeten blasen
zur Auffahrt für alle,
zum Leben verwesenden Samenkörner?

Leise, leise,
während die Würmer
die Gestirne der Augäpfel verzehren?

BEREIT SIND alle Länder aufzustehn
von der Landkarte.
Abzuschütteln ihre Sternenhaut
die blauen Bündel ihrer Meere
auf dem Rücken zu knüpfen
ihre Berge mit den Feuerwurzeln
als Mützen auf die rauchenden Haare zu setzen.

Bereit das letzte Schwermutgewicht
im Koffer zu tragen, diese Schmetterlingspuppe,
auf deren Flügeln sie die Reise einmal
beenden werden.

DANIEL mit der Sternenzeichnung
erhob sich aus den Steinen
in Israel.
Dort wo die Zeit heimisch wurde im Tod
erhob sich Daniel,
der hohen Engel Scherbeneinsammler,
Aufbewahrer des Abgerissenen,
verlorene Mitte zwischen Anfang und Ende
setzend.

Daniel, der die vergessenen Träume noch
hinter dem letzten Steinkohlenabhang hervorholt.

Daniel, der Belsazar Blut lesen lehrte,
diese Schrift verlorener Wundränder,
die in Brand gerieten.

Daniel, der das verweinte Labyrinth zwischen
Henker und Opfer durchwandert hat,

Daniel hebt seinen Finger
aus der Abendröte
in Israel.

DA SCHRIEB der Schreiber des Sohar
und öffnete der Worte Adernetz
und führte Blut von den Gestirnen ein,
die kreisten unsichtbar, und nur
von Sehnsucht angezündet.

Des Alphabetes Leiche hob sich aus dem Grab,
Buchstabenengel, uraltes Kristall,
mit Wassertropfen von der Schöpfung eingeschlossen,
die sangen – und man sah durch sie
Rubin und Hyazinth und Lapis schimmern,
als Stein noch weich war
und wie Blumen ausgesät.

Und, schwarzer Tiger, brüllte auf
die Nacht; und wälzte sich
und blutete mit Funken
die Wunde Tag.

Das Licht war schon ein Mund der schwieg,
nur eine Aura noch den Seelengott verriet.

aber niemand ist hier lesekundig
außer den Liebenden

WER ZULETZT
hier stirbt
wird das Samenkorn der Sonne
zwischen seinen Lippen tragen
wird die Nacht gewittern
in der Verwesung Todeskampf.

Alle vom Blut
entzündeten Träume
werden im Zickzack-Blitz
aus seinen Schultern fahren
stigmatisieren die himmlische Haut
mit dem Geheimnis der Qual.

Weil Noahs Arche abwärts fuhr
die Sternenbilderstraßen
wird
wer zuletzt hier stirbt
den Schuh mit Wasser angefüllt
am Fuße haben

darin ein Fisch
mit seiner Rückenflosse Heimwehsegel
die schwarz vertropfte Zeit
in ihren Gottesacker zieht.

WIE LEICHT
wird Erde sein
nur eine Wolke Abendliebe
wenn als Musik erlöst
der Stein in Landsflucht zieht

und Felsen die
als Alp gehockt
auf Menschenbrust
Schwermutgewichte
aus den Adern sprengen.

Wie leicht
wird Erde sein
nur eine Wolke Abendliebe
wenn schwarzgeheizte Rache
vom Todesengel magnetisch
angezogen
an seinem Schneerock
kalt und still verendet.

Wie leicht
wird Erde sein
nur eine Wolke Abendliebe
wenn Sternenhaftes schwand
mit einem Rosenkuß
aus Nichts –

JÄGER
mein Sternbild
zielt
in heimlichen Blutpunkt: Unruhe . . .
und der Schritt asyllos fliegt –

Aber der Wind ist kein Haus
leckt nur wie Tiere
die Wunden am Leib –

Wie nur soll man die Zeit
aus den goldenen Fäden der Sonne ziehen?
Aufwickeln
für den Kokon des Seidenschmetterlings
Nacht?

O Dunkelheit
breite aus deine Gesandtschaft
für einen Wimpernschlag:

Ruhe auf der Flucht.

So WEIT ins Freie gebettet
im Schlaf.
Landsflüchtig
mit dem schweren Gepäck der Liebe.

Eine Schmetterlingszone der Träume
wie einen Sonnenschirm
der Wahrheit vorgehalten.

Nacht
Nacht
Schlafgewand Leib
streckt seine Leere
während der Raum davonwächst
vom Staub ohne Gesang.

Meer
mit weissagenden Gischtzungen
rollt
über das Todeslaken
bis Sonne wieder sät
den Strahlenschmerz der Sekunde.

HEILIGE MINUTE
erfüllt vom Abschied
vom Geliebtesten
Minute
darin das Weltall
seine unlesbaren Wurzeln schlägt
vereint
mit der Vögel blindfliegender Geometrie
der Würmer Pentagramma
die nachtangrabenden

mit dem Widder
der auf seinem Echobild weidet
und der Fische Auferstehung
nach Mittwinter.

Einäugig zwinkert
und Herz verbrennend
die Sonne
mit der Löwentatze in der Spindel
zieht sie das Netz um die
Leidenden
dichter und dichter
denn nicht darf man wecken eines
wenn die Seele aushäusig ist

und seefahrend
vor Sehnsucht

sonst stirbt der Leib
verlassen
in der Winde verlorenem Gesicht.

IN DER FLUCHT
welch großer Empfang
unterwegs –

Eingehüllt
in der Winde Tuch
Füße im Gebet des Sandes
der niemals Amen sagen kann
denn er muß
von der Flosse in den Flügel
und weiter –

Der kranke Schmetterling
weiß bald wieder vom Meer –
Dieser Stein
mit der Inschrift der Fliege
hat sich mir in die Hand gegeben –

An Stelle von Heimat
halte ich die Verwandlungen der Welt –

TÄNZERIN
bräutlich
aus Blindenraum
empfängst du
ferner Schöpfungstage
sprießende Sehnsucht –

Mit deines Leibes Musikstraßen
weidest du die Luft ab
dort
wo der Erdball
neuen Eingang sucht
zur Geburt.

Durch
Nachtlava
wie leise sich lösende
Augenlider
blinzelt der Schöpfungsvulkane
Erstlingsschrei.

Im Gezweige deiner Glieder
bauen die Ahnungen
ihre zwitschernden Nester.

Wie eine Melkerin
in der Dämmerung
ziehen deine Fingerspitzen

an den verborgenen Quellen
des Lichtes
bis du durchstochen von der
Marter des Abends
dem Mond deine Augen
zur Nachtwache auslieferst.

Tänzerin
kreißende Wöchnerin
du allein
trägst an verborgener Nabelschnur
an deinem Leib
den Gott vererbten Zwillingsschmuck
von Tod und Geburt.

KIND
Kind
im Orkan des Abschieds
stoßend mit der Zehen weißflammendem Gischt
gegen den brennenden Horizontenring
suchend den geheimen Ausweg des Todes.

Schon ohne Stimme – ausatmend Rauch –

Liegend wie das Meer
nur mit Tiefe darunter
reißend an der Vertauung
mit den Springwogen der Sehnsucht –

Kind
Kind
mit der Grablegung deines Hauptes
der Träume Samenkapsel
schwer geworden
in endlicher Ergebung
bereit anderes Land zu besäen.

Mit Augen
umgedreht zum Muttergrund –
Du
in der Kerbe des Jahrhunderts gewiegt
wo Zeit mit gesträubten Flügeln
fassungslos ertrinkt
in der Überschwemmung
deines maßlosen Untergangs.

ZWISCHEN
deinen Augenbrauen
steht deine Herkunft
eine Chiffre
aus der Vergessenheit des Sandes.

Du hast das Meerzeichen
hingebogen
verrenkt
im Schraubstock der Sehnsucht.

Du säst dich mit allen Sekundenkörnern
in das Unerhörte.

Die Auferstehungen
deiner unsichtbaren Frühlinge
sind in Tränen gebadet.

Der Himmel übt an dir
Zerbrechen.

Du bist in der Gnade.

SIEH DOCH
sieh doch
der Mensch bricht aus
mitten auf dem Marktplatz
hörst du seine Pulse schlagen
und die große Stadt
gegürtet um seinen Leib
auf Gummirädern –
denn das Schicksal
hat das Rad der Zeit
vermummt –
hebt sich
an seinen Atemzügen.

Gläserne Auslagen
zerbrochene Rabenaugen
verfunkeln
schwarz flaggen die Schornsteine
das Grab der Luft.

Aber der Mensch
hat *Ah* gesagt
und steigt
eine grade Kerze
in die Nacht.

ABER VIELLEICHT
haben wir
vor Irrtum Rauchende
doch ein wanderndes Weltall geschaffen
mit der Sprache des Atems?

Immer wieder die Fanfare
des Anfangs geblasen
das Sandkorn in Windeseile geprägt
bevor es wieder Licht ward
über der Geburtenknospe
des Embryos?

Und sind immer wieder
eingekreist
in deinen Bezirken
auch wenn wir nicht der Nacht gedenken
und der Tiefe des Meeres
mit Zähnen abbeißen
der Worte Sterngeäder.

Und bestellen doch deinen Acker
hinter dem Rücken des Todes.

Vielleicht sind die Umwege des Sündenfalles
wie der Meteore heimliche Fahnenfluchten
doch im Alphabet der Gewitter

eingezeichnet neben den Regenbögen –

Wer weiß auch
die Grade des Fruchtbarmachens
und wie die Saaten gebogen werden
aus fortgezehrten Erdreichen
für die saugenden Münder
des Lichts.

UNEINNEHMBAR
ist eure nur aus Segen errichtete
Festung
ihr Toten.

Nicht mit meinem Munde
der
Erde
Sonne
Frühling
Schweigen
auf der Zunge wachsen läßt
weiß ich das Licht
eures entschwundenen Alphabetes
zu entzünden.

Auch nicht
mit meinen Augen
darin Schöpfung einzieht
wie Schnittblumen
die von magischer Wurzel
alle Weissagung vergaßen.

So muß ich denn aufstehen
und diesen Felsen durchschmerzen
bis ich Staubgeworfene
bräutlich Verschleierte
den Seeleneingang fand

wo das immer knospende Samenkorn
die erste Wunde
ins Geheimnis schlägt.

EINER
wird den Ball
aus der Hand der furchtbar
Spielenden nehmen.

Sterne
haben ihr eigenes Feuergesetz
und ihre Fruchtbarkeit
ist das Licht
und Schnitter und Ernteleute
sind nicht von hier.

Weit draußen
sind ihre Speicher gelagert
auch Stroh
hat einen Augenblick Leuchtkraft
bemalt Einsamkeit.

Einer wird kommen
und ihnen das Grün der Frühlingsknospe
an den Gebetmantel nähen
und als Zeichen gesetzt
an die Stirn des Jahrhunderts
die Seidenlocke des Kindes.

Hier ist
Amen zu sagen
diese Krönung der Worte die

ins Verborgene zieht
und
Frieden
du großes Augenlid
das alle Unruhe verschließt
mit deinem himmlischen Wimpernkranz

Du leiseste aller Geburten.

HIER IST KEIN BLEIBEN länger
denn aus seinem Grunde spricht schon Meer
die Brust der Nacht
hebt atmend hoch
die Wand, daran ein Kopf
mit schwerer Traumgeburt gelehnt.

In diesem Baustoff
war kein Sternenfinger
mit im Spiel
seit das Gemisch im Sand begann
so lebend noch im Tod.

Wer weint
der sucht nach seiner Melodie
die hat der Wind
musikbelaubt
in Nacht versteckt.

Frisch von der Quelle
ist zu weit entfernt.

Zeit ists zu fliegen
nur mit unserem Leib.

SCHLAF WEBT das Atemnetz
heilige Schrift
aber niemand ist hier lesekundig
außer den Liebenden
die flüchten hinaus
durch die singend kreisenden
Kerker der Nächte
traumgebunden die Gebirge
der Toten
übersteigend

um dann nur noch
in Geburt zu baden
ihrer eigenen
hervorgetöpferten Sonne –

Kein reines Weiß auf Erden

KOMMT EINER
von ferne
mit einer Sprache
die vielleicht die Laute
verschließt
mit dem Wiehern der Stute
oder
dem Piepen
junger Schwarzamseln
oder
auch wie eine knirschende Säge
die alle Nähe zerschneidet

Kommt einer
von ferne
mit Bewegungen des Hundes
oder
vielleicht der Ratte
und es ist Winter
so kleide ihn warm
kann auch sein
er hat Feuer unter den Sohlen
(vielleicht ritt er
auf einem Meteor)
so schilt ihn nicht
falls dein Teppich durchlöchert schreit –

Ein Fremder hat immer

seine Heimat im Arm
wie eine Waise
für die er vielleicht nichts
als ein Grab sucht.

LINIE WIE
lebendiges Haar
gezogen
todnachtgedunkelt
von dir
zu mir.

Gegängelt
außerhalb
bin ich hinübergeneigt
durstend
das Ende der Fernen zu küssen.

Der Abend
wirft das Sprungbrett
der Nacht über das Rot
verlängert deine Landzunge
und ich setze meinen Fuß zagend
auf die zitternde Saite
des schon begonnenen Todes.

Aber so ist die Liebe –

DER SCHLAFWANDLER
kreisend auf seinem Stern
an der weißen Feder des Morgens
erwacht –
der Blutfleck darauf erinnerte ihn –
läßt den Mond
erschrocken fallen –
die Schneebeere zerbricht
am schwarzen Achat der Nacht
traumbesudelt –

Kein reines Weiß auf Erden –

WENN DER ATEM
die Hütte der Nacht errichtet hat
und ausgeht
seinen wehenden Himmelsort zu suchen

und der Leib
der blutende Weinberg
die Fässer der Stille angefüllt hat
die Augen übergegangen sind
in das sehende Licht

wenn ein jedes sich in sein Geheimnis
verflüchtigte
und alles doppelt getan ist –
Geburt
alle Jakobsleitern der Todesorgeln hinaufsingt

dann
zündet ein schönes Wettergeleucht
die Zeit an –

WIE VIELE HEIMATLÄNDER
spielen Karten in den Lüften
wenn der Flüchtling durchs Geheimnis geht

wie viel schlafende Musik
im Gehölz der Zweige
wo der Wind einsam
den Geburtenhelfer spielt.

Blitzgeöffnet
sät
Buchstaben-Springwurzelwald
in verschlingende Empfängnis
Gottes erstes Wort.

Schicksal zuckt
in den blutbefahrenen Meridianen einer Hand –

Alles endlos ist
und an Strahlen
einer Ferne aufgehängt –

HINTER DEN LIPPEN
Unsagbares wartet
reißt an den Nabelsträngen
der Worte

Märtyrersterben der Buchstaben
in der Urne des Mundes
geistige Himmelfahrt
aus schneidendem Schmerz –

Aber der Atem der inneren Rede
durch die Klagemauer der Luft
haucht geheimnisentbundene Beichte
sinkt ins Asyl
der Weltenwunde
noch im Untergang
Gott abgelauscht –

ENDE
aber nur in einem Zimmer –
denn
über die Schulter mir schaut
nicht dein Gesicht
aber
wohnhaft in Luft
und Nichts
Maske aus Jenseits

und Anruf
Hof nur aus Segen herum
und nicht zu nah
an brennbarer Wirklichkeit

und Anruf wieder
und ich gefaltet eng und kriechend
in Verpuppung zurück
ohne Flügelzucken
und werde fein gesiebt
eine Braut
in den durstenden Sand –

TOD
Meergesang
spülend um meinen Leib
salzige Traube
durstlockende in meinem Mund –

Aufschlägst du die Saiten meiner Adern
bis sie singend springen
knospend aus den Wunden
die Musik meiner Liebe zu spielen –

Deine entfächerten Horizonte
mit der Zackenkrone aus Sterben
schon um den Hals gelegt
das Ritual des Aufbruchs
mit dem gurgelnden Laut der Atemzüge
begonnen
verließest du nach Verführerart
vor der Hochzeit das bezauberte Opfer
entkleidet schon fast bis auf den Sand
verstoßen
aus zwei Königreichen
nur noch Seufzer
zwischen Nacht und Nacht –

SCHON
mit der Mähne des Haares
Fernen entzündend
schon
mit den ausgesetzten
den Fingerspitzen
den Zehen
im Offenen pirschenden
das Weite suchend –

Der Ozeane Salzruf
an der Uferlinie des Leibes

Gräber
verstoßen in Vergessenheit
wenn auch Heilkraut für Atemwunden –

An unseren Hautgrenzen
tastend die Toten
im Schauer der Geburten
Auferstehung feiernd

Wortlos gerufen
schifft sich Göttliches ein –

ACH DASS MAN so wenig begreift
solange die Augen nur Abend wissen.
Fenster und Türen öffnen sich wie entgleist
vor dem Aufbruchbereiten.

Unruhe flammt
Verstecke für Falter
die Heimat zu beten beginnen.

Bis endlich dein Herz
die schreckliche Angelwunde
in ihre Heilung gerissen wurde
Himmel und Erde
als Asche sich küßten in deinem Blick –

O Seele – verzeih
daß ich zurück dich führen gewollt
an so viele Herde der Ruhe

Ruhe
die doch nur ein totes Oasenwort ist –

ABGEWANDT
warte ich auf dich
weit fort von den Lebenden weilst du
oder nahe.

Abgewandt
warte ich auf dich
denn nicht dürfen Freigelassene
mit Schlingen der Sehnsucht
eingefangen werden
noch gekrönt
mit der Krone aus Planetenstaub –

die Liebe ist eine Sandpflanze
die im Feuer dient
und nicht verzehrt wird –

Abgewandt
wartet sie auf dich –

EINE GARBE Blitze
fremde Macht
besetzen
diesen Acker aus Papier
Worte lodern
tödliches Begreifen
Donner schlägt das Haus ein
darin Grablegung geschah.

Nach Vergebung dieses Lebens
aus verzehrter Schreibeweise
aus der einzigsten Sekunde
hebt der innere Ozean
seine weiße Schweigekrone
in die Seligkeit zu dir –

ERLÖSTE
aus Schlaf
werden die großen Dunkelheiten
der Steinkohlenwälder
auffahren
abwerfen
das glitzernde Laub
der Lichterjahre
und ihre Seele aufdecken –

Beter
nackend
aus Blitzen
und Gesang aus Feuer
kniend
stoßend
mit Geweihen des Außer-sich-Seins
wieder an den Klippen des Anfangs
bei der Wogenmütter
Welt einrollender Musik.

SO RANN ICH aus dem Wort:

Ein Stück der Nacht
mit Armen ausgebreitet
nur eine Waage
Fluchten abzuwiegen
diese Sternenzeit
versenkt in Staub
mit den gesetzten Spuren.

Jetzt ist es spät.
Das Leichte geht aus mir
und auch das Schwere
die Schultern fahren schon
wie Wolken fort
Arme und Hände
ohne Traggebärde.

Tiefdunkel ist des Heimwehs Farbe immer

so nimmt die Nacht
mich wieder in Besitz.

»Berge versetzen
durch einen Fensterspalt –«

Hohe Ehrungen hat die Dichtung der Nelly Sachs auf sich geladen, sogar die höchste: den Nobelpreis. Eine hohe Schwelle lag von Anfang an zwischen ihr und den Lesern. Die Ehrungen, die ihre Dichtung in Deutschland auszeichneten, sind mit dieser Schwelle geradezu identisch: als habe die deutsche Nachkriegsgesellschaft mit diesen Verbeugungen vor der Repräsentantin des übergroßen, des unaussprechlichen und doch ausgesprochenen Leids sich freigemacht von der Verpflichtung, mit solchen Gedichten zu *leben*, das ist, sie lesen und lieben zu müssen.

Was wiederum nur bedingt richtig ist. Die, die sie geehrt haben, lasen sie auch. Ist sie »a poet's poet«, ein »Dichter für Dichter«? Eigentlich nicht. Sie hat nichts vom Artifex, es kommt ihr nur auf die Hauptsachen an: auf Liebe, Zuhause, Heimat. Auf Wahrhaftigkeit. Auf Gnade und Auferstehung. Auf Nicht-Mord, auf Nicht-Gleichgültigkeit. Auf das, was unser aller Leben ausmacht, was unser aller Leben zerstören kann.

Auf unserer literarischen Szene erschien sie relativ spät. Zwar wurde »In den Wohnungen des Todes« unmittelbar nach dem Kriege, 1947, in Berlin-Ost veröffentlicht[1], dem Jahr der Gründung der »Gruppe 47«. Aber die Berlinkrise scheint der Verbreitung ungünstig gewesen zu sein. »Sternverdunkelung«, das 1949 folgte, mußte – wie übrigens auch Paul Celans erster Band »Sand aus den Urnen« – mangels Interesses eingestampft werden. Danach suchte sie lange vergeblich einen Verleger. Und dies in einem Jahrzehnt, in dem Lyrik gern gedruckt wurde. Erst 1957/1959 hielt sie ihren Einzug bei uns, mit »Und keiner weiß weiter« und »Flucht und Verwandlung«. Ich sage »Einzug«. Und zu guter Stunde. Der junge Enzensberger, der genau in diesem Augenblick selber mit einem Wortsturm daherkam (»Verteidigung der Wölfe«, 1957), wurde ihr Freund und Promotor. Von seinem ersten Auftreten an und durch zwei Jahrzehnte hindurch war er ja einer der Präger – und auch Zerstörer – unserer literarischen Landschaft. 1961, im Jahr ihres 70. Geburtstags, erschien, mit seiner editorischen Hilfe zusammengestellt, der große Suhrkamp-Sammelband »Fahrt ins Staublose«, der alle Gedichtzyklen der Nelly Sachs, von »In den Wohnungen des Todes« an, vereinigte. Und, gleichzeitig, eine bewegende Demonstration der Freundschaft und Verehrung, der Band »Nelly Sachs zu Ehren«, eröffnet mit einem Gedicht von Ingeborg Bachmann. Es war eine Ent-Einsamung ersten Ranges. 1960 hatte sie den Meersburger Droste-Preis erhalten: dank Rudolf Hilty, damals Herausgeber des »Hortulus«, der Enzensbergers Stichwort mit Begeisterung aufgenommen hatte. Es war ihr zweiter deutscher Preis, der des Kulturkreises im Bundesverband der

Deutschen Industrie war vorausgegangen. 1958 hatte sie in Stockholm den Lyrikpreis des schwedischen Schriftstellerverbandes erhalten. Nun folgt fast jährlich eine andere Ehrung, bis hin zum Friedenspreis des Deutschen Buchhandels, 1965, und dem Nobelpreis, 1966, dem Jahre ihres 75. Geburtstags, zu dem ein noch prächtigerer Geburtstagsband ihrer Freunde gebracht werden konnte. Die Sachs-Ausgabe, mit den »Szenischen Dichtungen« fortgesetzt, wurde zur repräsentativsten Ausgabe, die bis dahin einem deutschen Nachkriegslyriker gewidmet worden war.

Literarisch war sie also »in«, vielleicht mehr als irgendwer sonst, mit Ausnahme von Celan allenfalls. In diesen 6oer Jahren wurde sie auch, und das war ihre größte Freude, eine Art Wallfahrtsziel für junge Autoren und Germanisten. Wie schon der Empfang, den ihr »die deutsche Jugend« bei ihrer ersten Rückkehr nach Deutschland in Meersburg bereitete, für sie eine Erschütterung war. »Eine Märchenfahrt« schrieb sie mir damals fast atemlos, »empfangen in Zürich mit soviel Liebe, und in Meersburg der Anstand der Jugend«. Bis dahin hatte sie jede Aufforderung, nach Deutschland zu kommen, mit einer Art Panik abgewiesen.[2] Zu entsetzlich müssen die nur andeutungsweise bekannten Umstände der Ermordung des ihr nächsten Menschen gewesen sein, ein Trauma, das sie bis zu ihrem Tode nicht losließ. Deswegen war sie auch nach Zürich geflogen, um nur den Bodensee überqueren zu müssen und gerade nur Meersburg zu betreten. Diese Reise endete tragisch: Vor Aufregung und Glück über die Wiederbegegnung mit dem geliebten und gefürchteten Land erkrankte sie schwer, als habe man sie mit Deutschland neu geimpft. 15 Jahre nach Kriegsende wurde ihr der Nazismus virulent, sie bekam einen schweren, mehrfach wieder aufflackernden Anfall von Verfolgungswahn und mußte lange Zeit in einer Anstalt verbringen. In dieser Anstalt richtete sie sich zeitweise häuslich ein, wenn sie es in der eigenen Wohnung nicht mehr ertrug. Aber in diesen ganzen Krisenjahren hat sie ihre poetische Arbeit und auch den Kontakt mit ihren deutschen Freunden fast ununterbrochen durchgehalten: das beste Heilmittel für diese Art Krankheit. So daß ihr zweiter und letzter Deutschlandbesuch, diesmal, um den Friedenspreis des Deutschen Buchhandels entgegenzunehmen, in ungestörter Freude verlief, und sie auch ihr heimatliches Berlin wiedersehen konnte, das sie 1967 zur Ehrenbürgerin machte.

Obwohl sie also eine weithin sichtbare Signalfigur geworden war, wurde sie, meines Wissens, doch nie gelesen wie Celan oder Bachmann oder andere gelesen wurden. Weder von einem größeren Publikum noch von einer sogenannten »Gemeinde«. Ihre Gedichte standen natürlich in den Schulbüchern, obwohl nie sehr viele, und es wurden Doktor- und Seminararbeiten über sie verfaßt. Es verwundert aber nicht, zu hören, daß die Schülerinnen der Nelly-Sachs-Schule in Neuss heute

schon kaum mehr wissen, nach wem ihre Schule be-
nannt ist. Und daß, als 1972, zwei Jahre nach ihrem
Tode, Heinrich Böll den Nobelpreis bekam, es keiner
deutschen Zeitung einfiel, Nelly Sachs zu erwähnen. Bis
Böll es tat, und der Name plötzlich wieder da war.[3]
Nun würde ein gewisses Absinken selbst eines so berühmten Dichters mit der seit 1968 bei uns programma-
tisch vollzogenen Abkehr von der Literatur, besonders
von der Poesie, ohne weiteres zu erklären sein, einer
Wende, die das von Enzensbergers »Kursbuch« ausge-
sprochene »Literaturverbot« 1968 vollends bekräftigte.
Dies doch rein metaphorische »Verbot« wurde von den
Medien und den meisten jüngeren Autoren beachtet, als
befehle ein Stadtkommandant eine Ausgangssperre. So
schwand auch der Nachruhm Ingeborg Bachmanns un-
erwartet schnell dahin und, trotz großer Image-Pflege,
sinkt spürbar auch Celan, zwei der gefeiertsten und
gelesensten Nachkriegslyriker. – Der Trend ist neuer-
dings wieder umgeschlagen, weg von Soziologie und
Politologie, und hin zur Poesie. Auch hierfür, merkwürdig wie das klingen mag, hat Enzensberger das
Zeichen gegeben. Und sei es nur, daß er jeweils im
richtigen Augenblick die Kehren nimmt. »Wir ergreifen
keine Idee, sondern die Idee ergreift uns«, sagt hierzu
Heine, »und peitscht uns in die Arena hinein, daß wir,
erzwungene Gladiatoren, für sie kämpfen.« Die »Er-
laubnis« zu dem neuen Start, z. T. auch von Redaktio-
nen ausdrücklich (!) als solche akzeptiert, wurde in

folgenden Worten gegeben: »Dagegen habe ich nie behauptet,/ nun gelte es ganz zu schweigen./ Schlafen, Atemholen, Dichten:/ das ist fast kein Verbrechen.«

Heute, nachdem der offizielle Ruhm der Nelly Sachs verblaßt, und, in der geänderten politischen Konstellation, auch die obligate Ehrenbezeigung nicht mehr im Programm ist, ist die Chance da, daß diese Gedichte, unbelastet vom Zwang zum Kotau, um ihrer selbst willen gelesen werden. Sie gehören zum Bedeutendsten, was der deutschen Sprache abverlangt wurde: zumindest in diesem Jahrhundert. Als Texte sind sie schwierig, schwieriger noch als die meisten expressionistischen Gedichte, denen sie der Stil-Lage nach, trotz ihres Nachkriegscharakters, angehören. Nelly Sachs, das muß man sich klarmachen, ist eine fast genaue Altersgenossin der Werfel, Goll, Becher und Heynicke (geb. 1890/1891). Keiner von ihnen allen, und vielleicht überhaupt kein deutscher Dichter seit dem späten Hölderlin, hat eine so exaltierte Sprache benutzt wie sie. »Deine Fußsohle ist immer an den Rand gestellt ... wo die Flügel für die Außer-sich-Geratenen liegen.« Dies sagt sie von einem berühmten Chassid, einem Wunderrabbi, aber es gilt auch für sie selbst. Neben dieser Dichtung eines außer sich geratenen, visionären Sprechens wirken Däubler, Mombert, Werfel, auch die Lasker-Schüler, wie disziplinierte Klassiker.

Zu ihrer Biographie, besonders der ersten Periode ihres Lebens, an der man zu rätseln angefangen hat, läßt sich nüchtern dies feststellen: Sie lebte zurückgezogen mit ihren Eltern, behütet vor den literarischen und politischen Ereignissen der Zeit. Abgesehen von einem sie tief ergreifenden, aber unglücklich verlaufenen Liebeserlebnis mit 17, gleich nach Verlassen der Schule – Mädchen machten nur in Ausnahmefällen das Abitur –, das nach einer schweren seelischen Krise zum Schreiben führte, scheint ihr Leben fast einschnittlos dahingegangen zu sein, bis zu dem Tode des Vaters, 1930. Bei Hitlers Machtergreifung war sie 41. In dem Berlin der 20er Jahre hat sie keine Rolle gespielt. Sie hat nicht mit den Expressionisten in den berühmten Cafés gesessen, sie hätte ihnen nichts anzubieten gehabt. Es ist ihr auch nicht, wie Else Lasker-Schüler, Döblin und so vielen anderen, das literarische Schaffen durch Hitler zerstört worden, noch wurde ihr »Name« ausradiert, sie hat nicht mehr als zwei, drei Gedichte in Tageszeitungen gehabt.[4] Alles, was sie vor ihrer Auswanderung im Mai 1940 geschrieben hatte, und da war sie immerhin 48 Jahre, brauchten wir nicht zu kennen, graziös und lieblich, wie diese Gedichte waren. Sie selber hat später auch ausdrücklich abgelehnt, etwas davon in ihr Werk aufzunehmen. An diesen Gedichten ist für die deutsche Literaturgeschichte nur wichtig – und wer wagt hier, »nur« zu sagen? –, daß sie der Frau, die eine der größten Dichterinnen deutscher Sprache werden sollte, im Augenblick höchster Gefährdung das Leben retteten. Denn gerade noch rechtzeitig vor ihrem Abtransport in ein Arbeitslager traf das schwedische Visum ein, dank den Bemühungen von Selma Lagerlöf, der sie in den 20er Jahren ihre Gedichte geschickt hatte: ein Kontakt, den eine junge Deutsche (»meine Lebensretterin«) in einem Bittgang nach Schweden, kurz vor Kriegsausbruch, aktivierte.

Es interessiert auch nicht, was sie von den Expressionisten und der sonstigen Moderne in Berlin gelesen hat, und was in Stockholm. Und was ihr erst durch die von ihr übersetzten, mit allen Wassern der Moderne gewaschenen schwedischen Lyriker vermittelt wurde (die, wie die Intellektuellen jedes Sprach-Ghettos und Randgebiets, mit einem in den großen Ländern kaum vorstellbaren Informationsdurst an den Zitzen der Weltliteratur hingen).[5] Daß ihr dagegen in dem großbürgerlichen Elternhaus eine gut bestückte Bibliothek zur Verfügung stand, war sicher nicht weniger wichtig als die musikalische Atmosphäre des Hauses. Dort war, außer den deutschen Klassikern und Romantikern, die parareligiöse Literatur gut vertreten: die deutschen Mystiker wie die »Weisheitsbücher des Ostens«, die den liberalisierten christlichen und jüdischen Bürgern damals Kirche und Synagoge ersetzten (wobei sie Kirchen- und Gemeindesteuer automatisch weiterzahlten, Austritte waren nur im Fall von Übertritten üblich). Bubers »Baalschem« und »Chassidische Erzählungen«, die eine so große Rolle für sie spielen sollten, lernte sie erst 1939 kennen. Das »Buch Sohar« (»Die Geheimnisse der

Schöpfung«, übersetzt von Gershom Scholem) wurde nach dem Tode ihrer Mutter (1950) in hohem Maße zu einem Lebens- und Überlebensquell. Nelly Sachs las, was sie nährte und was sie anverwandeln konnte. Darin bewahrte sie eine konsequente Linie: Novalis, Hölderlin, Böhme, Meister Eckhart, die Bibel und die genannten jüdischen Bücher, das war der Kern. Wozu vieles hinzukam. Von jeher war sie – weder »poeta doctus« noch naiv – eine assimilationsbereite Leserin[6]. Nachhaltig beeindruckt war sie von den Gedichten der Gertrud Kolmar, die sie in den furchtbaren Jahren zwischen 1933 und 1940 in Berlin bei den Veranstaltungen des Jüdischen Kulturkreises traf, und deren letzter Gedichtband noch 1938 in Berlin herauskam, freilich bald darauf vernichtet wurde.

Das Leben der Berliner Juden nach 1933 ist bekannt. Wieso und wessen Nelly Sachs verdächtigt wurde, wissen wir nicht, nur daß sie nach einem längeren Gestapoverhör, »einem Hexenprozeß«, wie sie schrieb, für Tage die Stimme einbüßte: ein Schreckerlebnis, das mit der Erschütterung ihres Deutschlandbesuchs 1960 wieder hochgekommen zu sein scheint, und sich in der Fischmetapher bis zu ihrem Tode durch ihre Dichtung zieht.

Wieviel sie auch der Bibel und der jüdischen wie der deutschen Mystik für ihre Metaphorik verdankt, es kann gar nicht genug hervorgehoben werden, daß die Begegnung und Durchdringung mit der bedeutenden, uns immer noch viel zu wenig bekannten schwedischen

Lyrik ihre Sprache von Grund auf umgeformt hat. Sehr bald begann sie ja, die zeitgenössischen schwedischen Dichter ins Deutsche zu übertragen: aus innerer Notwendigkeit, denn ob sie diese Übertragungen – oder auch ihre eigenen Gedichte – je veröffentlichen könnte, das war 1943 oder 44 ganz ungewiß. Jeder, der das Exil mitgemacht hat, versteht sofort die intime Identifikation, die aus der Verbindung der beiden Sprachen entstand: der des verlorenen Zuhause und des Landes ihrer Zuflucht. Da wird etwas hergestellt, das Fremdheit mildert und dem Menschen einen Ort gibt, der keinen mehr hat. Der Glücksfall lag darin, daß sie auf ihr so nahverwandte Dichter von so hoher Qualität traf, und daß aus dem Dienst an ihnen, der zugleich ein Dienst an ihr selber war, ihr ein Sprachvermögen zuwuchs, das Extremanforderungen adäquat war. Sie ist daher Exildichterin nicht nur in dem Sinne, daß sie das Exil erlitt und thematisierte. Sondern daß das Exil ihr buchstäblich zur künstlerischen Neugeburt wurde. Müßig, zu überlegen, was aus ihr geworden wäre, wenn sie das Geld gehabt hätte, 1940 nach Amerika weiterzuwandern. Das gelebte Leben läßt sich nicht, auch nicht hypothetisch, zurückdrehen in die ungelebten Möglichkeiten. Es hat, in dem großen Unglück, Gnadenfälle gegeben, wie es sie immer geben wird. Nelly Sachs war einer von ihnen.

Die ihr neu zuteilgewordene Sprachmöglichkeit wird Wort im Winter 1943, als die grauenhaften Nachrichten über die Vernichtungslager eintrafen, diese »Wohnungen des Todes«, »einladend hergerichtet« (seit 1942: Wannseekonferenz; 1943 Abtransport der Berliner Juden in die Todeslager, darunter Gertrud Kolmar). »Und wenn diese meine Haut zerschlagen sein wird, so werde ich ohne mein Fleisch Gott schauen« (Hiob) steht als Motto über dem Titelgedicht. Über einem der folgenden: »Und das Sinken geschieht um des Steigens willen« (Buch Sohar). Diese beiden Motti, unter die sie ihre ersten Gedichte stellt,[7] stehen unsichtbar über jedem ihrer Zyklen, bis zu ihrem Tode.

Unter den Nachrichten, die damals nach Stockholm kamen, war auch die über den Tod des geliebten Mannes. Durch diesen Schmerz wurde sie zu der Nelly Sachs, die wir kennen. »Dein Schweigen/ meine Stimme« hat das Marie Luise Kaschnitz genannt. Die »Gebete für den toten Bräutigam« und die »Chöre nach Mitternacht« sind die überragenden Zyklen in ihrem ersten Buch. Daß es sich bei dieser Liebe, die bis in die letzten Gedichte gegenwärtig ist, immer weiter um die Jugendliebe aus ihrem 17. Jahr handelt, also aus dem fernen Jahre 1908, das erinnert an die andere große Nobelpreisträgerin ihrer Generation, die Chilenin Gabriela Mistral, die das Leben hindurch mit einer Nelly Sachs vergleichbaren Heftigkeit um den früh verlorenen Geliebten klagte, beide vom 17. Lebensjahr an »mit einer Wunde als Wort«. Die Traumfigur scheint aber für Nelly Sachs eine leibhaftige Gestalt geblieben zu sein, die (wenn ich einen Brief an mich richtig lese) in dem Schockerlebnis mit der Gestapo eine Rolle gespielt haben muß[8].

Die ab 1943 aus der Bibel, der jüdischen und der deutschen Mystik, entwickelte Metaphorik benutzte Nelly Sachs mit hohem Sendungsbewußtsein, fast wie eine Seherin des Alten Testaments. Die einmal geprägten Metaphern wurden, unverändert oder leicht variiert, immer aber mit dem gleichen Assoziationsappell, zu festen Bestandteilen nicht nur ihrer Sprache, sondern ihres emotionalen Kosmos: das eine ist von dem anderen nicht zu trennen.

Der von Germanisten geäußerte Gedanke, sie habe ihren Lesern mit diesen Bildkombinationen Anhaltspunkte, gleichsam einen roten Faden durch ihr Werk, bieten wollen, ist absurd. Beim Schreiben war sie nur getragen von dem Verlangen, auszudrücken, was sie ausdrücken mußte. Es lassen sich aber, bei der Aufschlüsselung ihrer Gedichte, diese festen Metaphern geradezu wie Vokabeln einsetzen, wenn man ihren Stellenwert im Gesamtwerk kennt. Fast wie beim Lernen einer Sprache. Das ist es auch, was die Annäherung an ihre Gedichte zunächst zu einer mühsamen Arbeit macht. Aber schließlich sind wir auch bereit, Hölderlin oder Rilkes Elegien oder Kafka einige Mühe zu widmen.

Ich möchte das am Beispiel eines Gedichtes zeigen, an »Völker der Erde«, einem frühen und schwierigen Text.

Jede Interpretation ist aber nur eine Vorübung, eine unter den möglichen: damit der Lesende das Gedicht zu dem seinen machen kann, worauf alleine es ankommt. Ein Gedicht geht nicht auf wie eine Rechenaufgabe, immer ist mehr in den Worten, als der Schreibende weiß, und auch als der Lesende auspacken kann. Dieses »Mehr« macht, daß Gedichte für jeden anders und immer wieder neu sein können, kurz, daß sie leben.

VÖLKER DER ERDE
ihr, die ihr euch mit der Kraft der unbekannten
Gestirne umwickelt wie Garnrollen,
die ihr näht und wieder auftrennt das Genähte,
die ihr in die Sprachverwirrung steigt
wie in Bienenkörbe,
um im Süßen zu stechen
und gestochen zu werden –

Völker der Erde,
zerstöret nicht das Weltall der Worte,
zerschneidet nicht mit den Messern des Hasses
den Laut, der mit dem Atem zugleich geboren wurde.

Völker der Erde,
O daß nicht Einer Tod meine, wenn er Leben sagt –
und nicht Einer Blut, wenn er Wiege spricht –

Völker der Erde,
lasset die Worte an ihrer Quelle,

denn sie sind es, die die Horizonte
in die wahren Himmel rücken können
und mit ihrer abgewandten Seite
wie eine Maske dahinter die Nacht gähnt
die Sterne gebären helfen –

Dies ist ein Aufruf, wie ich keinen zweiten sehe im lyrischen Werk der Nelly Sachs. Trotz ihrer vielen »Du«, »Ihr«, »Wir«, die die »O Mensch«-Rufe der »Menschheitsdämmerer« an Hoffnungs- und Verzweiflungspathos weit zurücklassen. Ihre Stimme erhob sich am Ende des Zweiten Weltkriegs, wie die der »sehnsüchtigen Verdammten« (Pinthus) am Ende des Ersten. Sie war es, die das erste »Ihr« in einem Atem mit dem ersten »Wir« sprach, in ihrem »Chor der Geretteten«. »Wir Geretteten / immer noch hängen die Schlingen für unsere Hälse gedreht / vor uns in der blauen Luft / . . . Wir Geretteten / Wir drücken eure Hand / Wir erkennen euer Auge / Aber zusammen hält uns nur noch der Abschied / Der Abschied im Tod / hält uns mit euch zusammen.« Diese Zeilen, im Winter 1943/1944 geschrieben, waren damals an die Menschen ihrer Umgebung gerichtet. Stellvertretend für die Entkommenen sprach sie zu denen, die sie aufgenommen hatten. Aber als dieser »Chor der Geretteten« in ihrem ersten Bande, »Wohnungen des Todes«, 1947 in Berlin erschien, da änderte er ganz von selbst den Adressaten, da wurde er ein Nachkriegsgedicht: die erste Anrede der Überleben-

den, unter den Verfolgten, an die Überlebenden zuhause. Sonst hätte sie dies Gedicht ja nicht in Berlin
veröffentlichen lassen. Kaum vorstellbar, daß eine solche
Anrede die Menschen nicht erreicht haben sollte, trotz
der Berlinkrise. Die deutsche Nachkriegslyrik fing also
mitnichten »weltfern und idyllisch« an, »einzige Ausnahme Günter Eich«, wie immer wieder behauptet wird.
»Völker der Erde« wurde 1950 von Peter Huchel in
»Sinn und Form« veröffentlicht. So daß dieser große
Aufruf sich an die Lenker der Welt im fast unmittelba-
ren Nachkrieg richtete. Aber er hat nichts von seiner
Dringlichkeit, von seiner Aktualität verloren. Dies Gedicht wurde im selben Jahr (1949) geschrieben, in dem,
noch im Exil in den USA, Adorno seinen fatalen Satz
formulierte: »Nach Auschwitz ein Gedicht zu schreiben, ist barbarisch und unmöglich«, ein Satz, der 1951
bei uns in Druck ging und dann unauslöschlich schien,
so sehr Adorno selbst sich später Mühe gab, ihn zu
widerrufen.[9] Dementiert war er schon 1943/1944, als
Nelly Sachs ihre Sprache fand und die Auschwitzge-
dichte beendete mit Strophen wie dieser:

Leget auf den Acker die Waffen der Rache
Damit sie leise werden –
Denn auch Eisen und Korn sind Geschwister
Im Schoße der Erde –

Es ist Zeit, daß wir den Anfang der deutschen Nach-
kriegsliteraturgeschichte endlich umschreiben.

»Völker der Erde« ist einer der wenigen Aufrufe der Nelly Sachs, der sich an alle wendet: Die Lebenden sind hier angeredet. Nicht, wie sonst so oft, der Kosmos (»Welt, wie kannst du deine Spiele weiter spielen . . .«). Nicht ein »Wir«, ein »Du«, das schon Opfer wurde. Nicht Israel: »Land Israel / nun wo dein Volk / aus den Weltenecken verweint heimkommt«. Sondern die Völker der Erde sind aufgerufen, hier jetzt, und in alle Zukunft.

»Zerstöret nicht das Weltall der Worte«, das Wort, wie der Atem (das »Pneuma«), ist das Leben selbst, der »Logos«, der die Schöpfung in Gang setzt. Aufgerufen wird zur Enthaltung von Haß: Haß, das »Messer«, das Atmen und Sprechen zugleich abschneidet. Und sofort wird zur Wahrhaftigkeit aufgerufen. Aber in umgekehrter Form, als wir es sonst gewohnt sind. Gewöhnt sind wir an: »Du sagst Frieden, aber du meinst ihn nicht. Sag doch gleich, wie schlecht du es meinst!« Diese Art Forderung will den andern auf seine bösen Absichten festnageln, ihn überführen. Nelly Sachs dagegen verlangt: »Plane nichts Böses, wenn du Gutes sprichst.« Es geht hier weniger um die nachzuweisende Diskrepanz von Wort und Wirklichkeit.

Vielmehr soll das Wort den, der es spricht, auf sich verpflichten. Denn das Wort ist, seiner Natur nach, Wort des Lebens. »Das atemverteilende Weltall« wird es an anderer Stelle genannt.

»Lasset die Worte an ihrer Quelle.« Diese »Quelle« ist

die Sehnsucht: Sehnsucht nach Liebe und nach Heil. Dies sind »die wahren Himmel«, in die die – nicht mißbrauchten – Worte »die Horizonte rücken können«. »Mit ihrer abgewandten Seite«, mit dem, was »Geheimnis« bleibt, »helfen« die Worte »die Sterne gebären« (eine mehrfach vorkommende Metapher). Von den Gestirnen heißt es, in einem vergleichbaren Kontext, fast hölderlin'sch: »die kreisten unsichtbar, und nur von Sehnsucht angezündet«. So fließen die Worte aus der Sehnsucht und entzünden die großen Lichter, von woher sie wiederum Kräfte beziehen, in ewiger Wechselwirkung.

Jetzt verstehen wir den Anfang: daß die »Völker der Erde« Spulen sind für unbekannte Sehnsüchte (»mit der Kraft der unbekannten / Gestirne umwickelt wie Garnrollen«). Und daß sie aus der Kraft dieser Sehnsüchte heraus Beschlüsse fassen und verwerfen (»die ihr näht und wieder auftrennt das Genähte«). Völkerverträge zum Beispiel oder die Menschenrechte. »Der Faden ist Blut«, heißt es an anderer Stelle. Und das ist er bei diesem Tun und Un-Tun der Völker sicher. Von der summenden »Sprachverwirrung«, dem aktiven und passiven Wortbetrug (»stechen und gestochen werden«, wobei noch hinzugesetzt ist »im Süßen«, also Betrug mit Honigworten), kommt Nelly Sachs dann in die großen und erregenden Imperative: den Appell an die Völker, die Sprache heilig zu halten wie das Leben selbst.

»O daß nicht Einer Tod meine, wenn er Leben sagt –/ und nicht Einer Blut, wenn er Wiege spricht –«, ruft das nicht jeder von uns, wenn er morgens die Zeitung öffnet, wenn er abends den Fernsehknopf drückt!

Zur Methode der Interpretation: Es sollte gezeigt werden, wie sehr bei Nelly Sachs die Interpretation auf die Kenntnis des Gesamttextes der Gedichte angewiesen ist: des Stellenwerts jeder benutzten Metapher. »Die Kraft der unbekannten Gestirne«, mit denen sich die Völker »wie Garnrollen umwickeln«, konnte nur als »Sehnsucht« gelesen werden, wenn klar war, daß »Sehnsucht« die Triebkraft der Gestirne ist (»nur von Sehnsucht angezündet«). Diese »Sehnsüchte« speisen wiederum die Worte. Denn von den Gestirnen »fließt Blut in der Worte Adernetz«, heißt es an einer weiteren, sehr zentralen Stelle: eine eigengesetzliche Mythologie von Gestirnen und Sprache. Darum konnte Nelly Sachs auch von sich sagen, daß sie mit dem Schreiben, dem »Aufschreiben des Alphabets«, vermag, »die Gestirne [= Sehnsüchte] an der Wahrheit festzuhalten«.

In diese hochgespannte, stets mit Tod geladene Kosmologie einzutreten, fällt zunächst schwer. Ich will gestehen, daß ich selber negativ reagierte, als ich 1957 oder 58 in der Bibliothek des S. Fischer Verlags den Band »Sternverdunkelung«, von dem ich gar nichts wußte, in die Hand bekam. Meine Reaktion ist mir noch deutlich erinnerlich. Die Worte waren mir viel zu groß, viel zu steil, das Ganze zu massiv, überhaupt nicht, was ich von

Lyrik wollte. Das expressionistische Druckbild, mit der Aufdringlichkeit der Schrei-artig dickgedruckten Anrufe, mag die Abwehr noch verstärkt haben. Ohne Neugier, ohne Zuneigung legte ich den Band weg. Der Inhalt scheint mich nicht erreicht zu haben, über die Sprachbarriere. Ich kann auch verstehen, wieso Paul Celan, bei seinem ersten und einzigen Auftreten vor der »Gruppe 47« – in Niendorf, 1952 – für das Pathos der »Todesfuge« keinen spontanen Beifall gewann. (Wenn auch einen Verleger, die DVA, die im gleichen Jahr noch »Mohn und Gedächtnis« brachte: so entscheidend für Celan, wie »Flucht und Verwandlung«, 1959, ebenfalls bei DVA, für Nelly Sachs.)

Mein Verhältnis zu den Gedichten der Nelly Sachs änderte sich schlagartig, als ich im Januar 1960 ihre beiden Nachkriegszyklen las[10]. Noch heute scheinen mir diese beiden Zyklen, und danach noch Teile der »Glühenden Rätsel«, der Höhepunkt ihres Schaffens. Und es ist sicher kein Zufall, daß ich von den hier ausgewählten 64 Gedichten 40 aus diesen beiden Bänden genommen habe, und nur 5 aus »Sternverdunkelung«. Die »Wohnungen des Todes« sah ich, wie die meisten deutschen Leser, erst 1961, achtzehn Jahre nach ihrer Entstehung.

Um auf das Technische dieser Auswahl zu kommen: Im Wunsch, dem Leser die Gedichte lesbarer zu machen, habe ich eine kleine Auswahl der spätesten Gedichte an den Anfang gestellt, Gedichte aus »Glühende Rätsel«

und »Teile dich Nacht«, d. h. aus den Jahren 1963-1968. In diesen Jahren hat, so scheint es zumindest, der intensive Umgang der Dichterin mit uns allen ihre Sprache wesentlich vereinfacht. Vorangestellt habe ich als Motto ein kurz vor dem Tode geschriebenes Gedicht: »Da liegt einer / Nichts Schlimmeres als Vorübergehn . . .«, diese Klage, Kern aller Klagen und Vorwürfe, die der Mensch dem Menschen macht. Und die noch für jedes Kind, das nichts von Nelly Sachs und ihrem besonderen Schicksal weiß, sofort und täglich mitfühlbar ist.

Und ist nicht ein Gedicht wie »Hier nehme ich euch gefangen / ihr Worte . . . / ihr seid meine Herzschläge« (oben S. 13), fast ein rhythmischer Widerklang von Ingeborg Bachmanns: »Ihr Worte, auf, mir nach . . . / Kein Sterbenswort, / ihr Worte«, dem Gedicht, das die Ehrengabe 1961 eröffnet hatte? Ich meine, daß Nelly Sachs sich in einem Wechselgespräch befunden hat, im dritten Jahrzehnt ihres Schaffens[11], das es dem Leser leichter machen wird, in ihre so unverwechselbare, fast mit Geheimschlüsseln verschlüsselte Welt einzutreten, in diese wunderbare Welt, in der es »die Augen-aufschlagenden, die nicht mit Zungen verwundeten« Worte gibt für eine »entzündete Himmelfahrt«, die Worte, »die ein zum Schweigen gesteuertes Weltall / mitzieht in deine Frühlinge«. Wobei es dann frei bleibt, »dein« als ein Selbstgespräch des Dichters, als eine Anrede Gottes, oder als eine Anrede jedes, der sich angeredet fühlt in diesen »deinen Frühlingen« [= Auferstehungen], zu lesen.

Die Gedichte, mit denen ich den Band einleite, in Umkehr der chronologischen Reihenfolge (die sonst gewahrt ist), haben überdies den Vorzug, falls es ein Vorzug ist, sich nicht mit dem jüdischen Schicksal im besonderen zu beschäftigen, dessen Sprecherin sie nun einmal ist, und auch von daher dem Leser die Identifikation zu erleichtern.

Wie sehr Nelly Sachs ihre messianischen Gefühle fast in die Alltagssprache hineinbekam, in den 60er Jahren, möchte ich noch am ersten Teil eines mir besonders lieben Gedichts aus den »Glühenden Rätseln« zeigen, als sprachlichen Gegenpol zu »Völker der Erde«.

> In meiner Kammer
> wo mein Bett steht
> ein Tisch ein Stuhl
> der Küchenherd
> kniet das Universum wie überall
> um erlöst zu werden
> von der Unsichtbarkeit –
> Ich mache einen Strich
> schreibe das Alphabet
> . . . .

Diese bescheidene Wohnküche im 3. Stock des Hauses Bergsundstrand 23, das der Warburg-Stiftung gehörte und fast ganz von deutsch-jüdischen Flüchtlingen bewohnt war, 5-7 Wohnungen auf jedem der fünf Stockwerke, wie der schwedische Dichter Sivar Arnér es beschreibt[12], war ihr Domizil während der drei Jahrzehnte, die sie in Stockholm verbracht hat, das erste noch mit ihrer Mutter, dann allein: zwei Jahrzehnte in Armut und Anonymität, wenn auch nicht ohne Freunde. Dann berühmt und verehrt. Früh schon, seit 1944, und in allen Widerwärtigkeiten gestützt durch den Zuspruch des schwedischen Germanisten Walter A. Berendsohn, durch seinen Glauben an ihre dichterische Aufgabe. (Er war es auch, der 1951 das Mysterienspiel »Eli« in einer kleinsten Subskriptionsausgabe veröffentlichte, wenn er ihr auch keinen Verleger in Westdeutschland verschaffen konnte, was er offenbar versucht hat.)

Arnér beschreibt, wie sie den Menschen im Hause eine Ratgeberin war, wie sie ihre Freunde bewirtete (sie kochte ausgezeichnet, sagt er, und »verfügte mit Bestimmtheit über den Appetit ihrer Gäste«), die lebhaften literarischen und auch literaturpolitischen Diskussionen, die sie führte, und während er über sie schreibt, über die knisternde Spannung, die über all ihren Beziehungen lag, vergißt man ganz, daß er von einer »zierlichen, freundlichen, scheuen älteren Dame« (Enzensberger) spricht, und meint, es sei von einem kapriziösen jungen Mädchen die Rede. Die übergroße Scheu soll übrigens von ihr abgefallen sein, als nach Jahren der

Enttäuschungen und Zurückweisungen ihre Gedichte in Druck gehen konnten und sie zum Anwalt ihrer Bücher wurde. Das einzige, was sich sonst geändert hat, als sie berühmt wurde: Sie hat diese winzige, schäbig eingerichtete Unterkunft etwas hübscher möbliert.

Das also war die Bühne, auf der sich alles abgespielt hat, von den harten Anfängen als Wäscherin und kommerzielle Übersetzerin bis zum Nobelpreis. Vereist ist sie nie. Abgesehen von den langen Klinikaufenthalten hat sie sich wohl nur entfernt, um den Meersburger und den Frankfurter Preis entgegenzunehmen. Und von dort schickte sie ihr Wort aus, in der verzweifelten Hoffnung, durch den »Fensterspalt« über dem Sund, »die Berge zu versetzen«, wie es nur je die Gläubigen des Worts und der heiligen Überlieferungen getan haben.

> »Nicht mit Zahlenschwertern
> sind Berge zu versetzen
> Solches sei Liebenden überlassen . . .«

Dem vor ihr in dieser Wohnküche (»wie überall«) niederknienden »Universum«, das von ihr »erlöst« zu werden verlangt in die Sichtbarkeit, erfüllt sie den Wunsch. Sie macht diesen magischen Strich, sie malt den Spruch an die Wand, »da beginnt die Erde zu hämmern«. Die Dichterin setzt die Gestirne in Gang (»hält sie an der Wahrheit fest«), durch das »Atem verteilende Wort« wiederholt sie das »Es werde« des

Schöpfungsakts. In der denkbar größten Bescheidenheit und Selbstverständlichkeit wird dieser lebengebende, weltenschöpfende Akt vollzogen.

Dies ungewöhnliche Schöpfungsgedicht, so sehr ich es bewundere, habe ich dennoch nicht in diese Sammlung aufgenommen: weil ich den Schluß mißlungen finde. Es ist eine Tatsache, daß das Überwältigende bei Nelly Sachs häufig nicht so sehr das ganze Gedicht wie einzelne Strophen oder auch Zeilen sind[13]. Der Ekstatiker hat das Gedicht nicht in der Hand, eher umgekehrt. Die Kontrollinstanz, die »Reuse«, die einer in sich aufstellt und die den »Wortstrom« durchläßt oder auch siebt, hält bei ihm der Erregung, die die Sprache »flüssig macht«, nicht stand. Nie ist das Gedicht bei ihm ein »Machen«, immer ein »Tun«, bei dem er aber dahingerissen ist. Jeder ist ja zugleich Subjekt und Objekt seines Schreibens, aktiv und passiv zugleich. Aber der Aktive und der Passive können sehr ungleich bei Kräften sein. Der Ekstatiker steht an dem einen Pol dieses Kräftespiels. An einem solchen Pol steht Nelly Sachs, mehr als irgendein anderer zeitgenössischer Autor. Keine Gefahr besteht bei ihr – und das ist heute die akutere Gefahr, bei weitem –, daß ihre Gedichte zum Schema verkommen. Nie wird ihr der Intellekt, der das Leben auf das Gerippe des Musters bringt, Emotion und Authentizität verkümmern.

Celan z. B. ist im Vergleich zu ihr ein »Macher«, ein Artist. Was keine Bewertung sein soll.

Als strikter Herausgeber habe ich daher versucht, unter den mir wichtigen Gedichten nur solche zu wählen, die ihr Klima durchhalten und wo kein Absturz ins Bizarre die Lesebereitschaft entmutigen könnte.

Ohnehin war ich zu einer knappen Auswahl entschlossen, um dem Leser zu ersparen, was mich selber bei der Vorbereitung dieses Buchs irritiert hat: die gebetsmühlenhafte Wiederkehr von Thema und Metapher, immer in der hohen Tonlage, den »Nelly-Sachs-Effekt«, wie jemand es nannte.

Beim Beginn meiner Arbeit war ich geradezu erschrokken, wie der Widerstand in mir wuchs, und wie fern mir die Gedichte erschienen.

Ich nahm die Auswahl kalt vor, als sortiere ich irgendwelche Gegenstände nach einmal beschlossenen Qualitätsmerkmalen.

Als ich die engere und eine weitere Auswahl beisammen hatte, traten zwei Themenstränge stark hervor: das Leid um den Einen Ermordeten, stellvertretend für alle die Ermordeten, das ich nie so stark wahrgenommen hatte. Die große Zahl der Liebesklagegedichte. Und die Sprachgedichte. Ich hatte Glück: Die Barriere, die in der Masse der Gedichte bestanden hatte, war weggeräumt, und die ausgesuchten Gedichte waren wieder lebendig wie in den besten Momenten. So etwas kann ausbleiben. Man kann sich das nicht befehlen, es ist kein Willensakt. Es kann sowohl das Gedicht wie der Lesende versagen. Aber ich wäre glücklich, wenn der eine oder andere Leser dieser Auswahl ein ähnliches Erlebnis damit hätte.

Dies scheint ein Schlußwort und wäre es auch. Rechenschaft ist abgelegt über Auswahl und Präsentation, ein Versuch einer Einführung in die sprachlichen Probleme ist gegeben. Und die weltberühmte Dichterin ist vorgestellt als ein Mensch, nicht ganz wie jeder der aber doch gleich ins Zimmer treten und mit dem man sich unterhalten könnte. Zumindest war das die Absicht.

Ist nun alles weggeräumt, was der Aufnahme dieser Gedichte im Wege steht? Habe ich mich nicht vor einem Hauptproblem gedrückt? Hier will ich Mut haben: War Nelly Sachs ein »Alibi-Autor«, wie so oft geäußert wurde? Dann wäre ihre Zeit vorbei.

Heute und hier ist der Augenblick, zu erkennen, daß sie eine Schwester von Novalis und Hölderlin ist: legitim zuhause in der deutschen Sprache. Obwohl sie die Stimme der ermordeten Juden ist. Aber die Judenverfolgung ist nur ein Modellfall der conditio humana, und schon ganz der des Menschen unserer Zeit.

Ein Teil ihrer Gedichte, die Exilthematik, die Verfolgungsthematik, die Todes- und Auferstehungsthematik, bietet einen weiten Identifikationsspielraum.

»Wurzeln schlagen / die verlassenen Dinge / in den Augen Fliehender.« War das bei den fliehenden Vietnamesen anders? »O ihr Gejagten alle auf der Welt.«

Immer mehr Jäger und Gejagte in diesem Jahrhundert. Gerade wurde es als »das Jahrhundert der Konzentrationslager« bezeichnet, dies »verweinte Labyrinth zwischen Henker und Opfer«. – »Aus dem Kochtopf der Sprache, die wir mit Tränen erlernten / ernähren wir uns«: *die* Flüchtlingssituation, von vielen täglich durchdekliniert, kein Ende abzusehen.

> Preßt o preßt an der Zerstörung Tag
> an die Erde das lauschende Ohr
> Und ihr werdet hören, durch den Schlaf hindurch
> werdet ihr hören
> wie im Tode
> das Leben beginnt.

Das versuchen wir alle immer wieder, egal welcher Hautfarbe und welchen Glaubens, welcher Nation. Und welche Zerstörung gerade an der Reihe war. Der Dichter, gleichgültig welcher Zugehörigkeit, spricht stellvertretend. Nelly Sachs spricht stellvertretend.

Und wer weiß, unter welchem Vorzeichen, und für welche Macht, er schon morgen »der Jude« ist. Außer den Juden selbst, in der bewährten Sündenbockrolle, wie sie gerade neu formuliert wird. Der nächste Genozid, das nächste Im-Stich-gelassen-Werden zeichnet sich ab. – Wird Einer »den Ball / aus der Hand der furchtbar / Spielenden nehmen«?

In den 6oer Jahren trat der exemplarische Schicksalsappell, der ein bleibender ist, zurück vor dem spezifischen der Ermordung der deutschen und der europäischen Juden durch die Nationalsozialisten. Niemand hätte damals eine Auswahl der Nelly Sachs mit Gedichten eingeleitet, die außerhalb dieses Themas liegen, um, eingestandenermaßen, dem Leser »die Identifikation zu erleichtern«.

Was für eine Identifikation bot sich den Lesern an? Denn daß sich eine Identifikation anbietet, ist die Voraussetzung für die Aufnahme von Dichtung. Nelly Sachs war die große Bestatterin dieser Millionen von Toten, dieser als Leichen noch geschändeten Toten. Mit ihren Klagegesängen begrub sie, als einzelne Überlebende, gleichsam eine ganze Stadt, ein Volk von Toten. Die Leser gingen hinter ihr her, in diesem Schmerz. Mit ihren Worten bestatteten sie die Ermordeten. Die kleine Schar ihrer Leser, wie ich sagte. Eine breitere Öffentlichkeit bildete eine Art Spalier und nahm auf diese Weise teil am Ritual. Mit ihren fast priesterlichen Worten nahm Nelly Sachs, und wir mit ihr, etwas wie eine große »Reinigung«, eine Katharsis, vor.

> Die Auferstehungen
> deiner unsichtbaren Frühlinge
> sind in Tränen gebadet.

> Der Himmel übt an dir
> Zerbrechen.

> Du bist in der Gnade.

Es war eine österliche Handlung, die sie, und wir mit ihr, vollzogen. Diese Toten gingen, in ihren Worten, ein in die Erinnerung: wie die Toten der Jahrhunderte, die gut und die schlecht Gestorbenen. Ihre Bestattung war zugleich ihre Auferstehung im Wort. Wäre es ein Wort des Hasses gewesen, es hätte niemanden erlöst. Daß es Worte der Liebe waren, das macht sie zu österlichen. Und das vereint diese so besonderen Toten mit allen Opfern, zu denen der Mensch den Menschen gemacht hat. Zugleich jedoch erhält diese Dichtung die Erinnerung an das Unheil lebendig, indem sie diesen Toten eine Stimme gibt: unüberhörbar für die kommenden Generationen. Wie die Dichter von jeher zum Gedächtnis der Menschheit beitrugen.

Zwei Kronzeugen, daß Nelly Sachs so verstanden wurde, rufe ich auf:

Walter Jens:

»Erst nach langen Jahren wird sich zeigen, ob wir, die Angehörigen meiner und der nächsten Generation, im Angesicht von Gedichten wie den Gebeten für den toten Bräutigam bestehen können oder nicht. Keine Ehrung und kein Ansehen in der Gesellschaft werden uns helfen können, wenn wir vor diesen Versen versagen.«

Hans Magnus Enzensberger:

»Nelly Sachs ist die letzte Dichterin des Judentums in deutscher Sprache, und ihr Werk ist ohne diese königliche Herkunft nirgends zu begreifen. . . . Ihr, wie den

alten heiligen Schriften, ist Israel stellvertretend für die Heils- und Unheilsgeschichte der ganzen Schöpfung. Staub, Rauch, Asche sind nicht ›Vergangenheit‹, die sich abfertigen ließe, sondern stets gegenwärtig.«[14]
Das letzte Wort möge hierzu Nelly Sachs haben, mit dem jahrhundertealten jüdischen Segensgruß, wie sie ihn sagt:

Frieden
du großes Augenlid
das alle Unruhe verschließt
mit deinem himmlischen Wimpernkranz

du leiseste aller Geburten

ANMERKUNGEN

1 Aufbau Verlag, Copyright 1946. In Ost-Berlin soll es die jungen Leute außerordentlich bewegt haben, erinnert Horst Bienek, der, damals 18jährig, 1948 nach Berlin kam. »Es war ein Kronzeugenbuch«, sagt er, »ohne im Realismus steckenzubleiben. Ganz was wir damals suchten.« In Westdeutschland blieb es fast unbemerkt (Berliner Teilung: 1948!), und wurde auch von den wenigen, die sich daran erinnern, nicht als etwas Aufregendes empfunden. Die hohe Auflage von 20 000 war, wie mir Peter Huchel mitteilt, damals durchaus üblich, das Buch war billig (3,75 Mark), der Lesehunger enorm. Ob die ganze Auflage ausgeliefert worden sei, sei unsicher. In einem Brief vom Juni 1954 bezeichnete Nelly Sachs selbst diesen Band als »vergriffen«. – 1947 erschien, gleichfalls im Aufbau Verlag, »Von Welle und Granit«, die von Nelly Sachs übersetzte Anthologie der schwedischen Lyrik des 20. Jahrhunderts. – »Sternverdunkelung«, bei S. Fischer/Querido, Amsterdam, 1947. Die nächsten Bände bei Ellermann, Hamburg, 1957, und DVA, Stuttgart, 1959. Celan, »Sand aus den Urnen«, Wien, 1948.

2 Brief an H. Domin, Februar 1960; die hier zitierten Briefe an mich sämtlich vom Januar und Februar 1960.

3 Zu bedenken ist hierbei, daß Nelly Sachs zusammen mit dem israelischen Autor Agnon ausgezeichnet wurde, aber für ein deutsches Werk. Sie nahm den Preis ausdrücklich »für Deutschland« an, doch hatte die Situation von Anbeginn etwas Extraterritoriales.

4 Nach 1933 noch einige Gedichte in jüdischen Blättern, der einzigen verbliebenen Publikationsmöglichkeit. Einzelne ihrer in Berlin geschriebenen Gedichte sind erhalten, z. T. im Nachlaß von S. Lagerlöf, der sie 1921 das einzige von ihr veröffentlichte Buch gewidmet hatte »ihrem leuchtenden Vorbild, von einer jungen Deutschen«: »Legenden und Erzählungen« (Privatausgabe). Andere Gedichte hat sie vor ihrer Emigration verbrannt. Material bei Peter Sager: »Nelly Sachs. Untersuchungen zu Stil und Motivik ihrer Lyrik«. Diss. Bonn 1970. Bei Sager finden sich auch Auszüge aus den ersten, noch im früheren Stil geschriebenen Emigrationsgedichten aus Stockholm. Merkwürdig der Titel: »Miniaturen aus Gripsholm«, als habe sie in den Spuren dieses unglücklichen, ihr so ganz unähnlichen Berliners gehen wollen, der bei seinem Gripsholm seit 1935 beerdigt lag. – Von Marionettenspielen, die in kleinem Rahmen aufgeführt wurden, Vorläufern ihrer szenischen Arbeiten, ist nichts erhalten.
Ihre offenbar starke tänzerische Begabung wurde nicht ausgebildet, blieb ganz im Dilettantischen, so daß auch keine tänzerische Karriere bei ihr abgebrochen wurde, wie man bisweilen liest, so wichtig diese Affinität zum Tanz für ihre Lyrik dann auch wurde.

5 Aus meinen Erfahrungen in Latein-Amerika mir noch gut erinnerlich. Weder in London noch in New York war man über die letztminütlichen Veröffentlichungen so informiert wie in einer kleinen Hauptstadt auf den Antillen. Und das ist auch heute so.

6 Die Angaben über ihre Lektüre in Berlin und Stockholm nach Bengt Holm-
quist, in »Das Buch der Nelly Sachs«, Frankfurt a. M. 1968. – Böhme, Seuse,
Meister Eckhart wurden zwischen 1905 und 1925 mehrfach herausgegeben,
ebenso Rigveda, Bhagavad-Gita, Upanishaden (etwa wie heute, für die politisch
Interessierten, die Revolutionsliteratur des vorigen Jahrhunderts), und waren
gängiger, als es von Schweden aus scheinen mochte.
Was die moderne spanische und spanisch-amerikanische Lyrik anging, so war
Nelly Sachs nicht auf die Übersetzungen ins Schwedische angewiesen, sondern
las, was im Nachkriegsdeutschland erschien. »Rose aus Asche« von E. W. Palm
(1954) war ihr z. B. bekannt (Brief vom Jan. 1960), daher wird sie A. Theiles
Übertragungen aus Südamerika und Krolows »Barke Phantasie« wohl auch
gekannt haben.

7 Erst in der Ausgabe 1961.

8 Vgl. auch »Die Suchende«, 1966, und darin bes. V.: »zwei Gefangene/ der
Henker trug die Stimmen aufgezogen/ den Sehnsuchtsweg des Wahnsinns hin
und her . . .«, was in der Gestapovernehmung durchaus ein reales Substrat
haben könnte. Interessant war mir, daß Holmquist (a.a.O.) ohne weitere
Hinweise gerade diesen Zyklus als ihren »selbstbiographischsten« bezeichnet.

9 1966 (»Noten zur Literatur« III, S. 353) revidierte er diesen Satz ausdrücklich: »Das perennierende Leid hat soviel Recht auf Ausdruck wie der Gemarter-
te zu brüllen; darum mag falsch gewesen sein, nach Auschwitz ließe sich kein
Gedicht mehr sich schreiben.« Ein Satz, der mich so wenig befriedigt, wie der,
den er zurücknimmt: Es handelte sich ja nicht um das »Recht auf Ausdruck«,
sondern darum, ob die maßlose Entwürdigung des Menschen noch formulierbar
wäre. An vielen Stellen hat Adorno sich überzeugender zur Notwendigkeit der
Lyrik ausgesprochen.

10 Die kathartische Wirkung, die diese Gedichte damals für mich gehabt haben,
ist formuliert in »Offener Brief an Nelly Sachs« (»Nelly Sachs zu Ehren«, 1966),
einer Neuredaktion persönlicher Briefe.

11 Immer hatte sie sich in einem »Wechselgespräch« befunden, nur eben mit
Dichtern einer andern Tonlage. Erstaunliche Übernahmen von Metaphern weist
Peter Sager nach (a.a.O.). Vgl. auch Gisela Bezzel Dischner, »Poetik des
modernen Gedichts. Zur Lyrik der Nelly Sachs«, Berlin/Zürich, 1970, zu
Affinitäten mit Hölderlin, Trakl, Celan, auch Kafka. Beim Schreiben hat Nelly
Sachs nach jeder Metapher gegriffen, biblischer oder mystischer, zeitgenössischer und romantischer, je nachdem, was sich ihr im Augenblick der Erregung
als Transportmittel auf dem Wortestrom gerade anbot.
Je einsamer der Lyriker ist, um so vernehmbarer werden für ihn »die Stimmen«
der andern. Die ja immer für uns alle mehr oder weniger vernehmbar sind, auch
wo wir abwehrend reagieren. Das macht, von später her gesehen, »die« Zeit und
die Zeitgenossenschaft aus.

12 Nelly Sachs zu Ehren, 1961.

13 Die letzten, von mir als bizarr abgelehnten Zeilen des zitierten Gedichts lauten (nach: »da beginnt die Erde zu hämmern):

Die Nacht wird lose

fällt aus

toter Zahn vom Gebiß –

Einer – verständlichen – Versuchung, bewunderte Zeilen der Nelly Sachs zu einer Art »Übergedicht« zu montieren, ist Erich Fried erlegen (Ehrengabe 1966): »aus welchen Worten/ aus deinen/ die retten Worte vor Wörtern . . .«. Diese »Rettung« ist gänzlich mißglückt, aller Liebe zum Gegenstand und allem handwerklichen Können Frieds zum Trotz. Die erregenden Sätze der Nelly Sachs sterben, kaum faßt er sie an: Nicht weil sie isoliert, sondern weil sie zusammengefügt werden, perfekt schöne Teile, die ein intelligentes Artefakt ergeben, dem nichts als der Atem fehlt: das, was noch das schwächste Gedicht der Sachs von der klügsten Mechanik unterscheidet.

14 Textauszüge nach »Das Buch der Nelly Sachs«, 1968; Nachwort zu »Nelly Sachs. Ausgewählte Gedichte«, 1963, abgedruckt in »Das Buch der Nelly Sachs«, 1968.

QUELLENHINWEIS

Die Gedichte dieses Bandes sind den folgenden Sammlungen entnommen:

INHALT

Bibliothek Suhrkamp
Verzeichnis der letzten Nummern

Bibliothek Suhrkamp

Alphabetisches Verzeichnis